ENGLISH / MANDARIN

The PRESCHOOLER'S handbOOk

With over 300 Words
that every kid should know

BY DAYNA MARTIN

英语 / 普通話

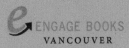

ENGAGE BOOKS
VANCOUVER

1

e ENGAGE BOOKS

Mailing address
PO BOX 4608
Main Station Terminal
349 West Georgia Street
Vancouver, BC
Canada, V6B 4A1

www.engagebooks.ca

Written & compiled by: Dayna Martin
Edited, designed & translated by: A.R. Roumanis
Educational Consultants:
Lisa Gludovatz E.C.E.,
Kyleigh Keats B.A., B.Ed.,
Shannon Koteles E.C.E.,
Christine Moline B.G.S., P.D.P.,
Rochelle Newstead E.C.E.,
Becky Zeeman E.C.E.,
Proofread by: Pei Jun Cao (Mandy Shunzi) 操佩君
and Natalie Ma 马静如
Photos supplied by: Shutterstock
Photos on page 33 & 47 by: Faye Cornish

FIRST EDITION / FIRST PRINTING

LIBRARY AND ARCHIVES CANADA CATALOGUING IN PUBLICATION

Martin, Dayna, 1983–, author
    The preschooler's handbook : ABC's, numbers, colors, shapes, matching, school, manners, potty and jobs, with 300 words that every kid should know / written by Dayna Martin ; edited by A.R. Roumanis.

Issued in print and electronic formats.
Text in English and Mandarin.
ISBN 978-1-77226-395-4 (bound). –
ISBN 978-1-77226-396-1 (paperback). –
ISBN 978-1-77226-397-8 (pdf). –
ISBN 978-1-77226-398-5 (epub). –
ISBN 978-1-77226-399-2 (kindle)

1. Chinese language – Vocabulary – Juvenile literature.
2. Vocabulary – Juvenile literature.
3. Word recognition – Juvenile literature.
I. Martin, Dayna, 1983- . Preschooler's handbook.
II. Martin, Dayna, 1983- . Preschooler's handbook. Chinese.
III. Title.

PL1271.M367 2017   J495.1'81   C2017-904072-3
                                             C2017-904073-1

ABCs
字母
Zìmǔ
4

NUMBERS
数字
Shùzì
10

COLORS
颜色
Yánsè
16

MATCHING
匹配
Pǐpèi
20

SHAPES
形状
Xíngzhuàng
26

SCHOOL
学校
Xuéxiào
28

MANNERS
礼貌
Lǐmào
29

ARTS
艺术
Yìshù
30

PLAYGROUND
操场
Cāochǎng
34

GARDENING
园艺
Yuányì
35

BIKE
自行车
Zìxíngchē
36

CAR
汽车
Qìchē
37

SHOPPING
购物
Gòuwù
38

JOBS
工作
工作
40

POTTY
便壶
Biàn hú
44

BRUSH
刷
Shuā
45

3

Uppercase

大写
Dàxiě

ABC 字母
Zìmǔ

Learn the uppercase alphabet on its own.

自己学习大写字母表。
Zìjǐ xuéxí dàxiě zìmǔ biǎo.

Apple

A
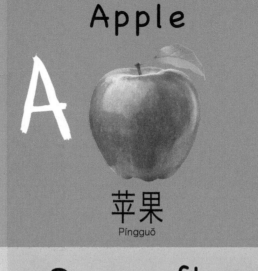

苹果
Píngguǒ

Butterfly

B

蝴蝶
Húdié

Cow

C

牛
Niú

Dragonfly

D
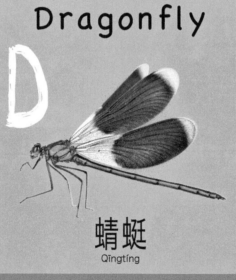

蜻蜓
Qīngtíng

Egg

E

蛋
Dàn

Fan

F

4

风扇
Fēngshàn

Grasshopper

G

蚱蜢
Zhàměng

Helicopter

H

直升机
Zhíshēngjī

Itch

痒
Yǎng

Jacket

夹克
Jiákè

Kettle

水壶
Shuǐhú

Leaf
L

叶子
Yèzi

Milk
M

牛奶
Niúnǎi

Nest
N

鸟巢
Niǎocháo

Owl
O

猫头鹰
Māotóuyīng

Pie
P

馅饼
Xiàn bǐng

Quilt
Q

被子
Bèizi

5

Robot

R
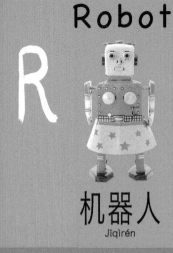

机器人
Jīqìrén

Seashell

S
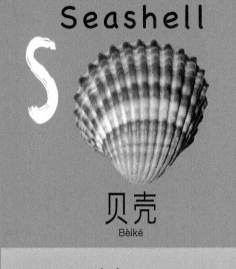

贝壳
Bèiké

Turtle

T

龟
Guī

Umbrella

U

雨伞
Yǔsǎn

Van

V

面包车
Miànbāochē

Wheelchair

W
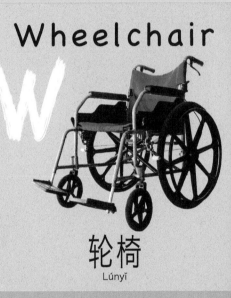

轮椅
Lúnyǐ

X-ray

X
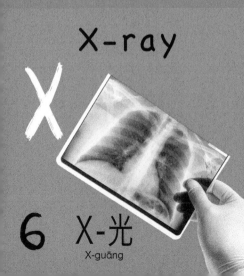

6 X-光
X-guāng

Yogurt

Y

酸奶
Suānnǎi

Zebra

Z
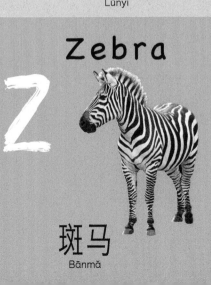

斑马
Bānmǎ

Lowercase
小写
Xiǎoxiě

ABC字母
Zìmǔ

Learn the lowercase
alphabet on its own.

自己学习小写字母表。
Zìjǐ xuéxí xiǎoxiě zìmǔ biǎo.

Ant

a

蚂蚁
Mǎyǐ

Bus

b

SCHOOL BUS

公共汽车
Gōng gòng qì chē

Clock

c

时钟
Shízhōng

Dolphin

d

海豚
Hǎitún

Elbow

e

手肘
Shǒu zhǒu

Feather

f

羽毛
Yūmáo

Grapes

g

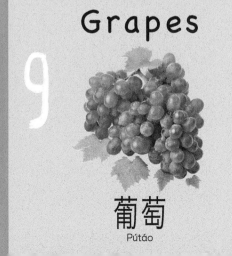

葡萄
Pútáo

Hand

h

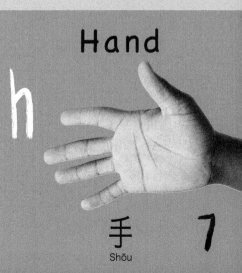

手
Shǒu

7

Igloo
i

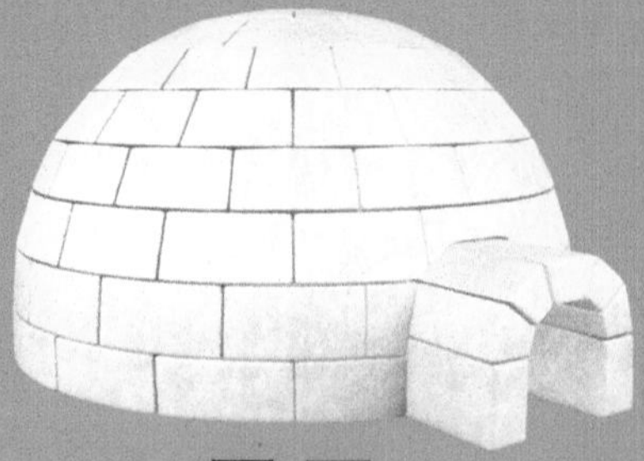

雪屋
Xuě wū

Jet
j

喷气式飞机
Pēnqì shì fēijī

Kite
k

风筝
Fēngzhēng

Ladder
l

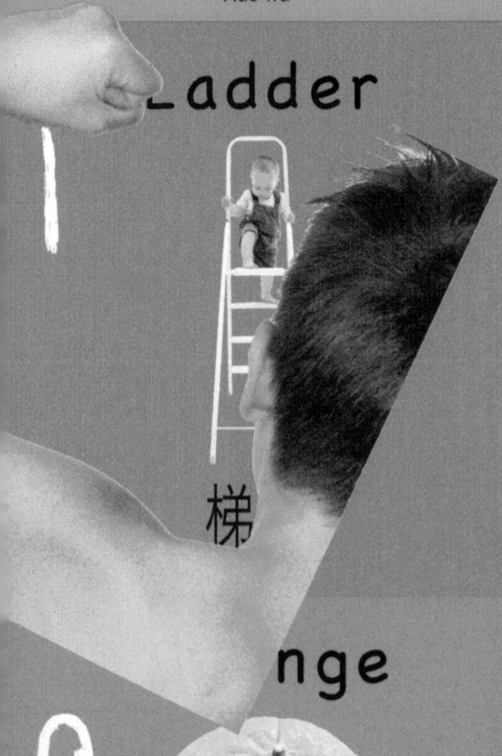

梯

Mug
m

杯子
Bēizi

Nose
n

鼻子
Bízi

Orange
o

8 橙子
Chéngzi

Pancakes
p

薄煎饼
Báo jiānbing

Queen
q

女王
Nǚwáng

Ring

戒指
Jièzhǐ

Snail

蜗牛
Wōniú

Tractor
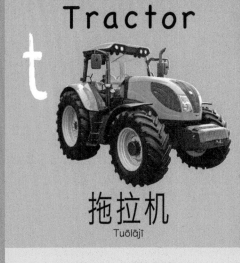
拖拉机
Tuōlājī

Unicorn

独角兽
Dú jiǎo shòu

Vacuum
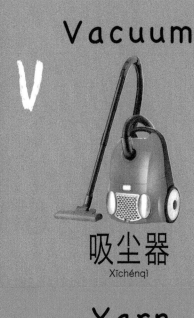
吸尘器
Xīchénqì

Window

窗口
Chuāngkǒu

Xylophone

木琴
Mùqín

Yarn

纱线
Shā xiàn

Zucchini
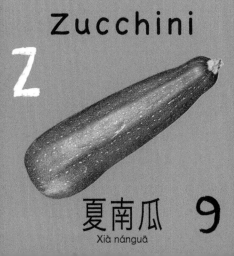
夏南瓜
Xià nánguā

9

NUMBERS

Count from 0 to 20.

数字

Shùzì

从0到20。

Cóng 0 dào 20.

Nothing

Zero

0

零

Líng

没有

Méiyǒu

Scooter

One

1

一

Yī

滑行车

Huáxíng chē

Babies

Two

2

二

Er

婴儿

Yīng' ér

Three

3

三

Sān

10

Pickles

酱菜

Jiàngcài

Puzzle pieces

Four

4

四

Sì

拼图

Pīntú

Frogs

Five

5

五

Wǔ

青蛙

Qīngwā

Sunglasses

Six
6
六
Liù

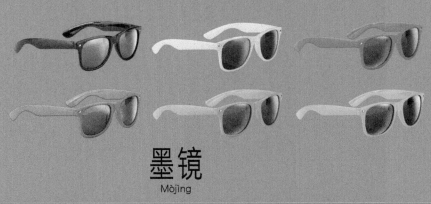

墨镜
Mòjìng

Trees

Seven
7
七
Qī

树
Shù

Birds

Eight
8
八
Bā

鸟类
Niǎo lèi

Beetles

Ten
10
十
Shí

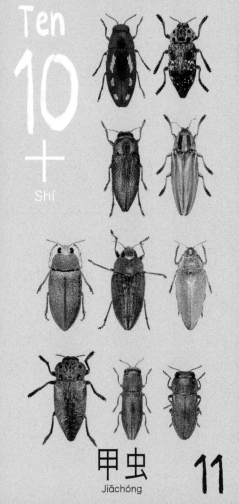

甲虫
Jiǎchóng

Ice cream scoops

Nine
9
九
Jiǔ

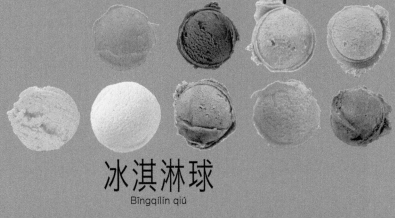

冰淇淋球
Bīngqílín qiú

11

Nuts

Eleven
11
十 一
Shíyī

坚果
Jiānguǒ

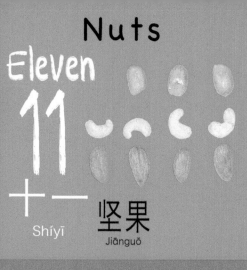

Dinosaurs

Twelve
12
十 二
Shí' èr

恐龙
Kŏnglóng

Spiders

Thirteen
13
十 三
Shísān

12 蜘蛛
Zhīzhū

Spinning tops

Fourteen
14
十 四
Shísì

陀螺
Tuóluó

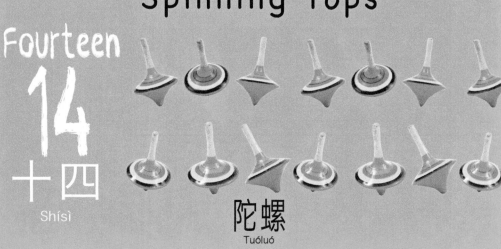

Finger puppets

Fifteen
15
十 五
Shíwŭ

手指木偶
Shŏuzhĭ mù' ŏu

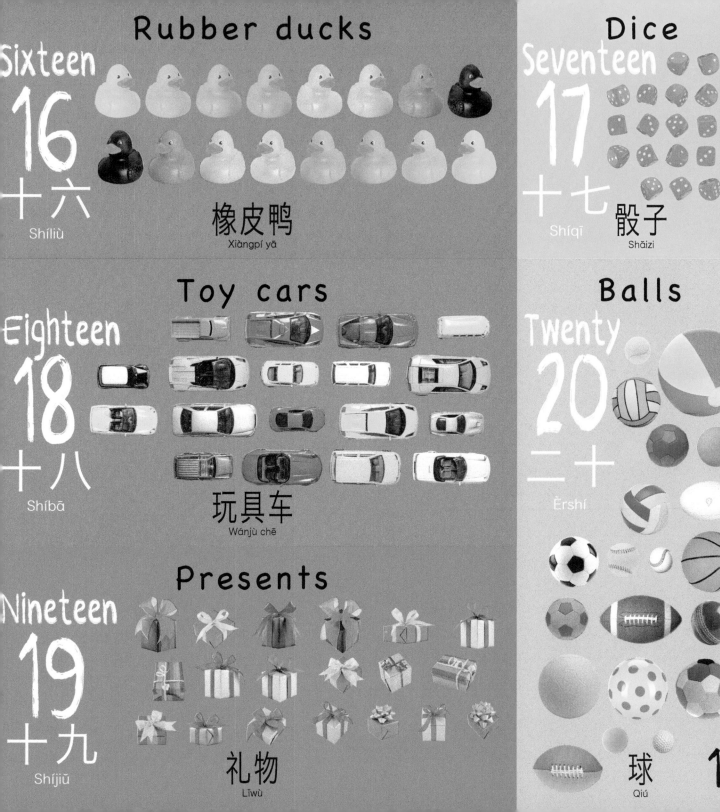

Rubber ducks

Sixteen
16
十六
Shíliù

橡皮鸭
Xiàngpí yā

Dice

Seventeen
17
十七
Shíqī

骰子
Shǎizi

Toy cars

Eighteen
18
十八
Shíbā

玩具车
Wánjù chē

Balls

Twenty
20
二十
Èrshí

球
Qiú

Presents

Nineteen
19
十九
Shíjiǔ

礼物
Lǐwù

MATCH 比赛
Bǐsài

Match each number to the objects on the next page.

将每个数字与下一页上的对象进行匹配。

Jiāng měi gè shùzì yǔ xià yī yè shàng de duìxiàng jìnxíng pīpèi.

Zero
0

零
Líng

One
1

一
Yī

Two
2

二
Èr

Three
3

三
Sān

Four
4

四
Sì

Five
5

五
Wǔ

Six
6

六
Liù

Seven
7

七
Qī

14

MATCH 比赛
Bǐsài

Count the objects in each square and match them to the numbers on the last page.

计算每个正方形中的对象，并将其与最后一页上的数字进行匹配。

Jiāng měi gè shùzì yǔ xià yī yè shàng de duìxiàng jìnxíng pīpèi.

Light bulbs

电灯泡

Diàndēngpào

Raspberries

红莓

Hóng méi

Toothbrushes

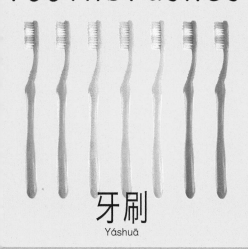

牙刷

Yáshuā

Excavator

挖掘机

Wājué jī

Trains

火车

Huǒchē

Nothing

没有

Méiyǒu

Trucks

卡车

Kāchē

Cats

猫

Māo

15

COLORS
颜色
Yánsè

The colors of
the rainbow.
彩虹的颜色。
Cǎihóng de yánsè.

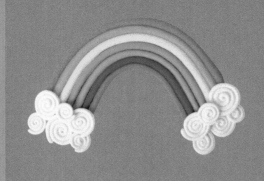

Rainbow 彩虹
Cǎihóng

Red 红
Hóng

Lobster 龙虾
Lóngxiā

Orange 橙子
Chéngzi

Tiger 虎
Hǔ

Yellow 黄色
Huángsè

Fish 鱼
Yú

Green 绿色
Lǜsè

Lettuce 生菜
Shēngcài

Blue 蓝色
Lán sè

游泳圈
Yóuyǒng quān

16 Life saver

Indigo 靛青
Diànqīng

Flower 花
Huā

Violet 紫色
Zǐsè

Teddy bear 泰迪熊
Tài dí xióng

COLORS
颜色
Yánsè

Different tones.
不同的音调。
Bùtóng de yīndiào.

Black 黑色
Hēisè

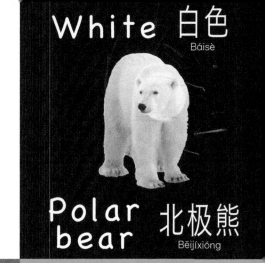

Horse 马
Mǎ

White 白色
Báisè

Polar bear 北极熊
Běijíxióng

Gray 灰色
Huīsè

Duct tape 管胶带
Guǎn jiāodài

Brown 棕色
Zōngsè

Pine cone 松球
Sōng qiú

Turquoise 绿松石
Lǜ sōngshí

Cupcake 杯型蛋糕
Bēi xíng dàngāo

Magenta 品红
Pǐn hóng

Bucket 桶
Tǒng

Purple 紫色
Zǐsè

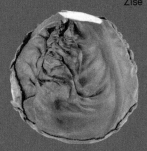

Cabbage 卷心菜
Juǎnxīncài

Pink 粉
Fěn

Pig 猪
Zhū

17

Which helmet is yellow?

哪个头盔是黄色的?

Nǎge tóukuī shì huángsè de?

Which block is blue?

哪个块是蓝色的?

Nǎge kuài shì lán sè de?

Which shoes are red?

哪个鞋子是红色的?

Nǎge xiézi shì hóngsè de?

18

Which piece of paper is magenta?

哪张纸是洋红色的?

Nǎ zhāng zhǐ shì yáng hóngsè de?

Which doughnut is turquoise?

哪个甜甜圈是绿松石?

Nǎge tián tián quān shì lǜ sōngshí?

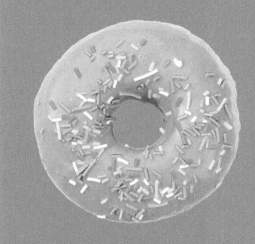
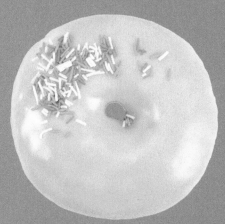

Which snake is brown?

哪条蛇是棕色的?

Nǎ tiáo shé shì zōngsè de?

19

MATCHING

Match the pictures
in the large squares
with the pictures
in the small squares.

匹配
Pǐpèi

将大方块中的图片与小方块
中的图片进行匹配。

Jiāng dà fāngkuài zhōng de túpiàn yǔ xiǎo
fāngkuài zhōng de túpiàn jìnxíng pǐpèi.

The switch turns on the...

开关打开...

Kāiguān dǎ kāi...

Door

门

mén

The key opens the...

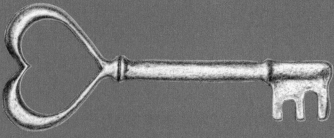

钥匙打开...

Yàoshi dǎkāi...

Light

灯

dēng

20

The dog chews a...

狗咬了一...

Gǒu yǎole yī...

Carrot

胡萝卜

húluóbo

The rabbit eats a...

兔子吃...

Tùzī chī...

Banana

根香蕉

gēn xiāngjiāo

The monkey peels a...

猴子剥了一...

Hóuzi bōle yī...

Bone

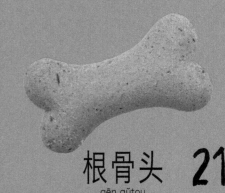

根骨头

gēn gǔtou

21

The pirate sails a...

海盗开...

Hǎidào kāi...

Train

火车

huǒchē

The engineer drives a...

工程师开...

Gōngchéngshī kāi...

Airplane

飞机

fēijī

The pilot flies an...

飞行员飞过...

Fēixíngyuán fēiguò...

Ship

船

fānchuán

22

The astronaut walks on the...

宇航员在月球上...
Yǔháng yuán zài yuèqiú shàng...

Cake

蛋糕
dàngāo

The baker makes a...

面包师做...
Miànbāo shī zuò...

House

房子
fángzi

The carpenter builds a...

木匠建...
Mùjiàng jiàn...

Moon

散步
sànbù

23

The soccer ball rolls in the...

足球在网上

Zúqiú zài wǎngshàng

Glove

手套

shǒutào

The basketball falls in the...

篮球落在

Lánqiú luò zài lán

Net

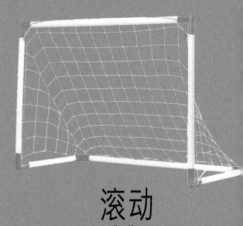

滚动

gǔndòng

The baseball lands in a...

棒球陷入

Bàngqiú xiànrù

Hoop

篮筐中

kuāng zhōng

24

The hammer hits a...

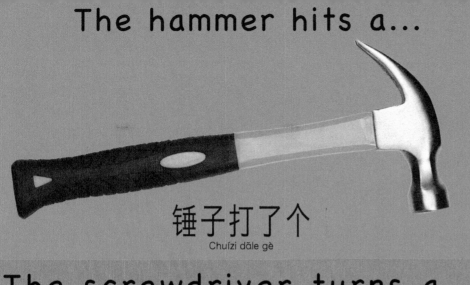

锤子打了个

Chuízi dǎle gè

Screw

螺丝

luósī

The screwdriver turns a...

螺丝刀转动一个

Luósīdāo zhuǎndòng yīgè

Wood

木头

mùtou

The saw cuts the...

锯切了

Jù qièle

Nail

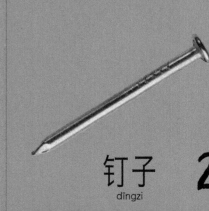

钉子

dīngzi

25

SHAPES
形状
Xíngzhuàng

Match each shape
with the picture on
the next page.

匹配每个形状与下一页的图片。

Pǐpèi měi gè xíngzhuàng yǔ xià yī yè de túpiàn.

Circle
圆形
Yuán xíng

Square
正方形
Zhèngfāngxíng

Triangle
三角形
Sānjiǎoxíng

Oval
椭圆
Tuǒyuán

Rectangle
长方形
Chángfāngxíng

Diamond
菱形
Língxíng

Pentagon
五角形
Wǔjiǎoxíng

Hexagon
六边形
Liù biān xíng

SHAPES

形状
Xíngzhuàng

Match each picture
with the shape on
the last page.

将每张图片与最后一页的形状相匹配。

Jiāng měi zhāng túpiàn yǔ zuìhòu yī yè
de xíngzhuàng xiāng pǐpèi.

Button

纽扣
Niǔkòu

Picture

图片
Túpiàn

Sandwich

三明治
Sānmíngzhì

Watermelon

西瓜
Xīguā

Bag

袋
Dài

Sign

DANGER
CROCODILES

NO
SWIMMING

标志
Biāozhì

Bird feeder

喂鸟器
Wèi niǎo qì

Cracker

饼干
Bǐnggān

27

SCHOOL
学校
Xuéxiào
Things to learn at preschool.
在学前班学习的东西。
Zài xuéqiánbān xuéxí de dōngxī.

Backpack

背包
Bèibāo

Desk

桌子
Zhuōzi

Snack

小吃
Xiǎochī

Teacher

老师
Lǎoshī

Friends

朋友
Péngyǒu

Work together

一起工作
Yīqǐ gōngzuò

Clean up

清理
Qīnglǐ

MANNERS
礼貌
Lǐmào
Learn to be nice to others.
学会对别人很好。
Xuéhuì duì biérén hěn hǎo.

Good morning

早上好
Zǎoshang hǎo

Hello

你好
Nǐ hǎo

Please

请
Qǐng

Thank you

谢谢
Xièxiè

Goodbye

再见
Zàijiàn

Excuse me

打扰一下
Dǎrǎo yīxià

Share

分享
Fēnxiāng

Good night

晚安
Wǎn'ān

29

COLORING
染色
Rănsè
Different ways to color.
不同的染色方法。
Bùtóng de rănsè fāngfă.

Crayons

蜡笔
Làbǐ

Paint brushes

油画刷
Yóuhuà shuā

Glitter

闪光
Shănguāng

Paper
纸
Zhǐ

Paint
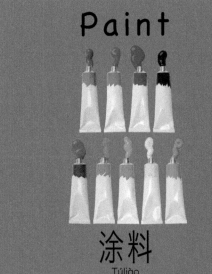
涂料
Túliào

Chalk

30 粉笔
Fēnbǐ

Chalkboard

ABC
黑板
Hēibăn

Pencils
铅笔
Qiānbǐ

CRAFTS
工艺
Gōngyì

Things to use to make arts and crafts.

用于制造工艺品的东西。

Yòng yú zhìzào gōngyìpǐn de dōngxī.

Scissors

剪刀
Jiǎndāo

Tape

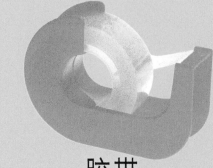

胶带
Jiāodài

String

绳子
Shéngzi

Googly eyes

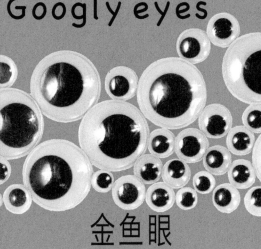

金鱼眼
Jīnyú yǎn

Stickers

贴纸
Tiēzhǐ

Pipe cleaners

管道清洁剂
Guǎndào qīngjié jì

Pom poms

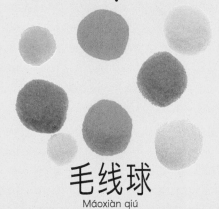

毛线球
Máoxiàn qiú

Glue

胶
Jiāo

31

MAKING MUSIC
制作音乐
Zhìzuò yīnyuè
Different kinds of instruments.
不同种类的乐器。
Bùtóng zhǒnglèi de yuèqì.

Piano

钢琴
Gāngqín

Violin
小提琴
Xiǎotíqín

Drum

鼓
Gǔ

Singing

唱歌
Chànggē

Tambourine

铃鼓
Líng gǔ

Guitar

吉他
Jítā

Flute

直笛
Zhí dí

Maracas

马拉卡斯
Mǎ lā kǎ sī

32

LIBRARY
图书馆
Túshū guǎn
Things to find at the library.
在图书馆找到的东西。
Zài túshū guǎn zhǎodào de dōngxǐ.

Books

图书
Túshū

Library card

借书卡
Jiè shū kǎ

Computer

电脑
Diànnǎo

Librarian

图书管理员
Túshū guǎnlǐ yuán

Magazines

杂志
Zázhì

eBook

电子书
Diànzǐ shū

Audiobook

有声读物
Yǒushēng dúwù

Movie

电影
Diànyǐng

33

PLAYGROUND
操场
Cāochǎng
Things to play with at the playground.
在游乐场玩的东西。
Zài yóulè chǎng wán de dōngxī.

See saw
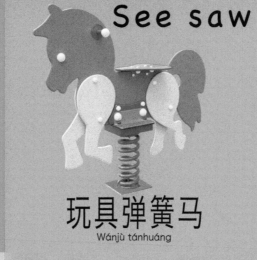
玩具弹簧马
Wánjù tánhuáng

Monkey bars

猴架
Hóu jià

Swing

秋千
Qiūqiān

Teeter totter
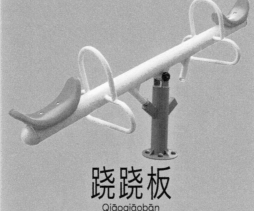
跷跷板
Qiāoqiāobǎn

Climbing walls
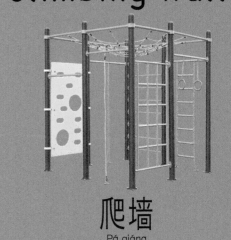
爬墙
Pá qiáng

Slide

34 滑梯
Huátī

Merry-go-round

旋转木马轮
Xuánzhuǎn mùmǎ lún

Sandbox
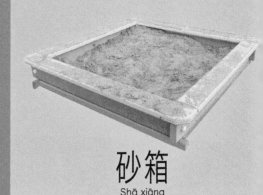
砂箱
Shā xiāng

GARDENING
园艺
Yuányì
Things to use
in the garden.
在花园里使用的东西。
Zài huāyuán lǐ shǐyòng de dōngxī.

Rake

耙
Bà

Shovel

铲
Chǎn

Gloves

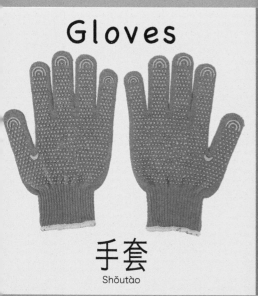

手套
Shǒutào

Plant pot

花盆
Huā pén

Trowel

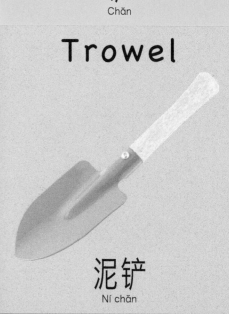

泥铲
Ní chǎn

Wheelbarrow

独轮车
Dúlúnchē

Water can

水可以
Shuǐ kěyǐ

Seed

种子
Zhǒng zi

35

BIKING
骑自行车
Qí zìxíngchē
Things to use when going on a bike ride.
骑自行车时要使用的东西。
Qí zìxíngchē shí yào shǐyòng de dōngxī.

Helmet

头盔
Tóukuī

Brake
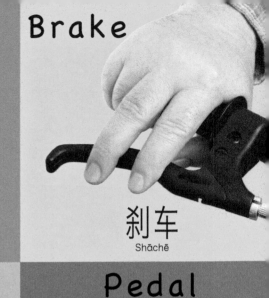
刹车
Shāchē

Knee pads

护膝
Hùxī

Bike

自行车
Zìxíngchē

Pedal
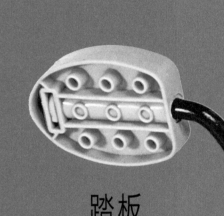
踏板
Tàbǎn

Wheel

36   轮子
Lúnzi

Seat
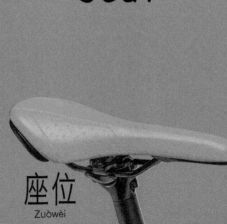
座位
Zuòwèi

Bell
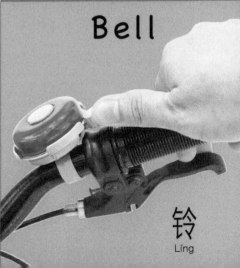
铃
Líng

CAR RIDE
车程
Chēchéng

Things to use when
going on a car ride.
旅行时要使用的东西。
Lǚxíng shí yào shǐyòng de dōngxī.

Car seat

汽车座椅
Qìchē zuò yǐ

Trunk

后备箱
Hòubèi xiāng

Steering wheel

方向盘
Fāngxiàngpán

Fuel station

加油站
Jiāyóu zhàn

Seat belt
安全带
Ānquán dài

Traffic light

红绿灯
Hónglùdēng

Tire

胎
Tāi

Mirror

镜子
Jìngzi

37

GROCERY STORE
杂货店
Záhuò diàn

Things to find at the grocery store.

在杂货店找到的东西。
Zài záhuò diàn zhǎodào de dōngxī.

Grocery cart

杂货车
Záhuò chē

Basket

篮
Lán

Vegetables

蔬菜
Shūcài

Cashier

收银员
Shōuyín yuán

Dairy

乳业
Rǔyè

Fruit

38
水果
Shuǐguǒ

Grains

谷物
Gǔwù

Meat
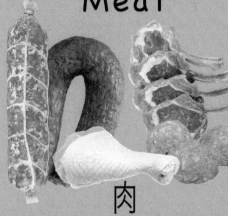
肉
Ròu

POST OFFICE
邮政局
Yóuzhèngjú
Things to find at the post office.
在邮局找到的东西。
Zài yóujú zhǎodào de dōngxǐ.

Stamp

邮票
Yóupiào

Mailbox

邮箱
Yóuxiāng

Mail bag

邮袋
Yóudài

Mail carrier

邮递员
Yóudìyuán

Postbox

邮箱
Yóuxiāng

Postcard

明信片
Míngxìnpiàn

Letter

信
Xìn

Parcel

包裹
Bāoguǒ

39

FIREFIGHTER
消防队员
Xiāofáng duìyuán
Things that firefighters use.
消防员使用的东西。
Xiāofáng yuán shǐyòng de dōngxī.

Fire truck

消防车
Xiāofáng chē

Water hose

水管
Shuǐguǎn

Fire hydrant

消防栓
Xiāofáng shuān

Firefighter

消防队员
Xiāofáng duìyuán

Fire extinguisher

灭火器
Mièhuǒqì

Axe
40 斧头
Fǔtóu

Fire helmet

防火头盔
Fánghuǒ tóukuī

Fire alarm

火警
Huǒjǐng

POLICE OFFICER
警官
Jǐngguān

Things that police officers use.
警察使用的事情。
Jǐngchá shǐyòng de shìqíng.

Police car

警车
Jǐngchē

Badge

徽章
Huīzhāng

Megaphone

扩音器
Kuò yīn qì

Police officer

警官
Jǐngguān

Hat

帽子
Màozi

Note pad

记事本
Jìshì běn

Handcuffs

手铐
Shǒukào

Whistle

哨
Shào

41

DOCTOR

医生
Yīshēng

Things to find at the doctor's office.

在医生办公室找东西。
Zài yīshēng bàngōngshì zhǎo dōngxī..

Stethoscope

听诊器
Tīngzhěnqì

Bandage

绷带
Bēngdài

Nurse

护士
Hùshì

Doctor

医生
Yīshēng

Syringe
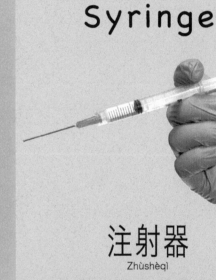

注射器
Zhùshèqì

Otoscope
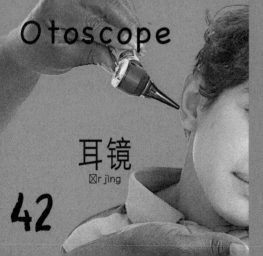

耳镜
Ěr jìng

42

Thermometer

温度计
Wēndùjì

Reflex hammer

反射锤
Fǎnshè chuí

DENTIST
牙医
Yáyī

Things to find at the dentist's office.
在牙医办公室找到的东西。
Zài yáyī bàngōngshì zhǎodào de dōngxī.

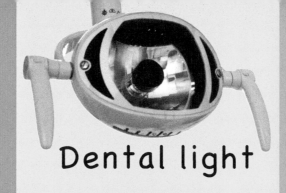

Dental light
牙科灯
Yákē dēng

Chair

椅子
Yǐzi

Mirror
镜子
Jìngzi

Dentist

牙医
Yáyī

Hygienist
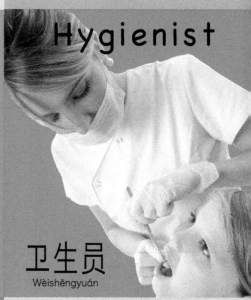
卫生员
Wèishēngyuán

X-ray
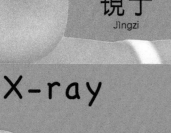
X-射线
X-shèxiàn

Safety glasses
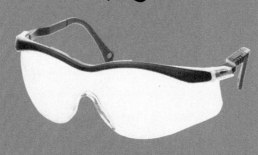
护目镜
Hù mùjìng

Probe
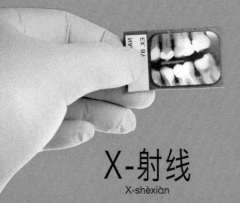
探针
Tàn zhēn

43

POTTY STEPS
小便步骤
Xiǎobiàn bù zhòu

1 Ask to go potty
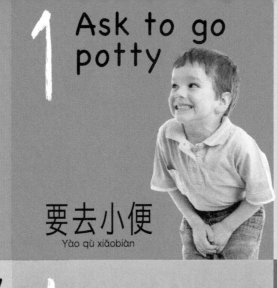
要去小便
Yào qù xiǎobiàn

2 Pull down pants

拉下裤子
Lā xià kùzi

3 Sit on potty

坐上便盆
Zuò shàng biànpén

4 Wipe with toilet paper

用卫生纸擦干净
Yòng wèishēngzhǐ cā gānjìng

5 Flush
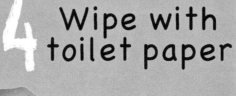
冲洗
Chōngxǐ

6 Use soap

用肥皂洗手
Yòng féizào xǐshǒu

7 Wash hands
漱口
Shù kǒu

8 Dry hand

擦干手
Cā gān shǒu

BRUSH and FLOSS
刷子和牙线
Shuāzi hé yá xiàn

1 Floss between your teeth

把每一颗牙齿都剔一遍
Bǎ měi yī kē yáchǐ dōu tī yībiàn

2 Wet your toothbrush

湿你的牙刷
Shī nǐ de yáshuā

3 Put toothpaste on toothbrush
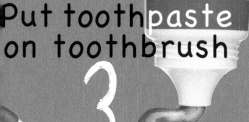
把牙膏放在牙刷上
Bǎ yágāo fàng zài yáshuā shàng

4 Brush your front teeth
刷你的前牙
Shuā nǐ de qián yá

5 Brush your back teeth
刷你的后牙
Shuā nǐ de hòu yá

6 Spit toothpaste in the sink
把牙膏吐在水池里
Bǎ yágāo tǔ zài shuǐchí lǐ

7 Rinse your mouth
冲洗你的嘴巴
Chōngxǐ nǐ de zuǐbā

8 Rinse your toothbrush
冲洗牙刷
Chōngxǐ yáshuā

Match the following jobs to the pictures below. Can you find **a librarian, a pilot, a doctor, a police officer, a baker, a firefighter, a mail carrier, a carpenter, and an astronaut?**

将以下工作与下面图片相匹配。你能找到图书管理员，飞行员，
Jiāng yǐxià gōng zuò yǔ xiàmiàn túpiàn xiāng pīpèi. Nǐ néng zhǎodào túshū guǎnlǐ yuán, fēixíngyuán,

医生，警察，面包师，消防员，邮递员，木匠和宇航员吗？
yīshēng, jǐngchá, miànbāo shī, xiāofáng yuán, yóudìyuán, mùjiàng hé yǔháng yuán ma?

Mùjiàng
木匠
Carpenter

Xiāofáng duìyuán
消防队员
Firefighter

Miànbāo shīfu
面包师傅
Baker

Fēixíngyuán
飞行员
Pilot

Jǐngguān
警官
Police officer

Yóudìyuán
邮递员
Mail carrier

Yīshēng
医生
Doctor

Túshū guǎnlǐ yuán
图书管理员
Librarian

Yǔháng yuán
宇航员
Astronaut

46

Find more early concept books at www.engagebooks.ca

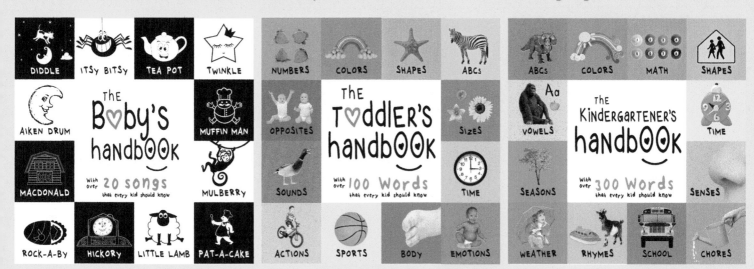

About the Author

Dayna Martin is the mother of three young boys. When she finished writing *The Toddler's Handbook* her oldest son was 18 months old, and she had newborn twins. Following the successful launch of her first book, Dayna began work on *The Baby's Handbook*, *The Preschooler's Handbook*, and *The Kindergartener's Handbook*. The ideas in her books were inspired by her search to find better ways to teach her children. The concepts were vetted by numerous educators in different grade levels. Dayna is a stay-at-home mom, and is passionate about teaching her children in innovative ways. Her experiences have inspired her to create resources to help other families. With thousands of copies sold, her books have already become a staple learning source for many children around the world.

WITHDRAWN

Translations

ENGLISH/SPANISH

ENGLISH/FRENCH

ENGLISH/GERMAN

ENGLISH/MANDARIN

ENGLISH/ITALIAN

ENGLISH/GREEK

and many more...

Looking for a different translation? Contact us at: alexis@engagebooks.ca with your ideas.

 Show us how you enjoy your **#handbook**. Tweet a picture to **@engagebooks** for a chance to win free prizes.

47

CPSIA information can be obtained
at www.ICGtesting.com
Printed in the USA
LVOW05s2158251017
553711LV00010B/13/P